*For my cousin, Sandy Edward (1940–2014),
and my sister, Susan Edward Vass (1950–2015).
I miss you both.*

GAITHERIN

Poems

Sheila Templeton

RED SQUIRREL PRESS

First published in the UK in 2016 by Red Squirrel Press
www.redsquirrelpress.com

Designed and typeset by Gerry Cambridge
www.gerrycambridge.com

Cover image: ©: <a href='http://www.123rf.com/
profile_subbotina'>subbotina / 123RF Stock Photo</a>

A CIP catalogue record for this book is available
from the British Library.

ISBN: 978 1 910437 38 4

Red Squirrel Press is committed to a sustainable future.
This book is printed in the UK by Martins the Printers
using Forest Stewardship Council certified paper.
www.martins-the-printers.co.uk

FSC
www.fsc.org
MIX
Paper from
responsible sources
FSC® C004309

GAITHERIN

Contents

Hame-gaan

We find the best place, two granite boulders shouldering rippled water;
a tiny beach, somewhere we can find again. Her sons stand tall, solemn.

One holds the shiny-plum cardboard, so strangely like a wine box.
He squats on the flattest stone, looks a question and we nod,
wordless as he tilts and pours his mother where she asked to rest
pours her silky ashes in a pale waterfall, whitening the dark river

where she leaves us, carries on downstream to the North Sea
far away from her birth place under African stars. Yet surely
a kind current will carry some shining, some silvery trace
to Dar-es-Salaam, its coral bleached shore, the creek of our childhood.

The heavier ash has settled, glimmers on the river bed, a clinging,
a defiance of the water's force; and a small hawk is roosting
on telegraph wire, setting sun warming black winter lace of trees
as the river slides and chatters over old quartz.

Someone says the box is biodegradable—and what would you do with it anyway?
Afterwards. So that too is lowered into this marvellous water, a bobbing galley
following her down to the river mouth. And her sons watch. For the longest time
they watch, as their silver mother sails towards the ocean

and I think of her hair when she was three; her favourite photo, elfin face
ruffled lemon party frock, black-patent Mary-Janes, the biggest eyes, green—
oh how she loved that they were green! The silk of her soft loose curls
her silver-blonde curls when she was three.

Lairnin Aboot Luve

He cairriet Paddy tae the car,
the auld blue-bottle Morris.

They didnae cam hame til aifterneen,
the usual time for thir entry, garten
wi danglin leggy hare or rubbit.

It wis still winter-time, but a saft day.
So a grave cud be dug as easy as that
can iver be, faan the tall chiel, my granda
cam roun the side o the hoose, cradlin
a sma black tyke, swaddled in a saick.

Naebody helped. An naebody hinnered.
Even we bairnies didnae ask.

Grunnie wis baking, fillin the kitchen
wi a mound o gowden bannocks.

He sat ootside tae clean his gun;
then washed himsel at the kitchen sink,
forsakin oor new bathroom upstairs.

I lairnit aboot luve that day.
He wid niver have used sic a word.

Workin Men

I miss thaim. Miss their quait
haans restin lowssed
oan dusty overalls
deen wi the day's wark,
wachty buits ackwart
in their sklaik o glaur
or pentit spleiter;
the carefu wye they sat
on buses, gaan hame.

My granda's waak
the pleesure o his waak
his hertsome dander up Station Road
lang widden jyner's rule pokin oot
the nairra pooch o his dungers
spleet-new saadist furrin his jaicket.

An my faither, tall chiel
swingin alang a hine-awa railway line
lang sicht taakin swatch o aathing
unner his ontak; fish-plates, bowts,
ivery sleeper in its cinner bed,
on the keevee for onything amissin
—yet his een shairp-set
oan the blae far-awa, the mischancie
o twa bairns, heelster-gowdie
ower steel-glaizie rails—
now racin lik a pair o slung-stanes
tae walcome his hame-comin.

Thrawn

She said mony a time
foo pleased she wis
wi the spleet-new twin tub,
its leam in her kitchie,
the wye it kittled up
at the flick o a switch,
the spin-dryer a meeracle.

Jist an oor ootside, it's aa dry...

But oan leesome days, een
richt in the howe o winter,
she'd vanish lik snaw aff a dyke.
Syne we'd catch sicht o her smoke
lik The Last o the Mohicans
or the signal for a new pope—

reek-boak feuchin oot the lum
o the auld stane waash-hoose,
a bleeze kennled unner the byler;
an her, wrang side o seiventy
bendin ower wi tasht widden tongs,
heistin scaldin sodden sheets
intae a basket unnerneath the mangle
reddy tae feed edges in atween
wachty rollers, heedless o her fingers;
heid happed in an auld scarf
hands reid-raw, rogie-faced.

It's richt fine tae be doon here
the hoose free o steam
a drouthie day, a gran day.

Grunnie

I mind oan your ankles
sma, nait in thick lisle stockings
skelpin up an doon the road
the paper shop, the library, Lows the grocer.

They telt me faan Auntie Lil wis in the hospital
the isolation place for TB,
you waalked the four mile
there an back, ivery day.
An she wis second-youngest o five.

                        You lairned me
how tae daunce, table pushed weel back,
birlin me aroon the kitchen,
Highland Schottische, airms ticht,
sideboard dirlin.

Katie Bairdie hud a coo, black n white aboot the moo
Wisn't that a dandy coo? Dance Katie Bairdie!

                        An you, now
crouched shrunken oan the brass kindlin box by the bleeze,
drinkin tea wi milk in it.

                        You o the weak black tea
in a bone-cheena cup, exact quarter-spoon o sugar.

She disna mind noo, fit we gie her.
But you did. You did.

She's fine. Dinna fash yersel.
I wish your een telt the same story.

Hairst Meen

Sleekit stoats, we slippet ower i dyke
through coorse thistles, reeshlin stalks.
Boo't twa-faal lik half shut knives, mowdied
a labyrinth faar nae minotaur cud roar,
nae hostages be sacrificed fur ony king.
A warld o whisperin paths, swirlin
green corn, faar we jinket and ran,
caa'd wirsels deen, sprauchlin lik pups
in beaten halla chaumers. Breathin
in each ithers hert hemmer, fyle
i hairst meen's wyme swalled gowd
through lang licht nichts. Until
i corn wis ready fir cuttin and bindin
and biggin intil glitterin stooks. Until
i clatterin combine chased aabody
oot, doon ti i hinmaist square heezen
wi little herts, lugs pented flat,
ready ti rin fir life itsel. Until
i stooks stood sillered, leeful-leen,
unner i licht i sic a different meen.

Sweet Detritus

Jelly and jam may help prevent the spread of cancer, new research suggests. Both contain a gelling ingredient, pectin, that is believed to block a key cancer progression pathway in the body.

—The Herald, *October 2008.*

Nae maitter fit exploit we were on, breengin alang
the cindery, marguerite drifts o the railway banks,
sweemin in the dooker doon at the Don, or foraging
up at the exotic cobalt watter o the auld quarries,
we were aye issued wi the collection o tinnies, pails
an bowlies wi instructions tae bring back a *bilin o rasps.*
Wild rasps. Naethin lik the vauntie plumped-up hybrid
half-loganberry, half-raspberry in their shiny plastic
ye get nooadays, aa pristine an fu o hygiene. Oor rasps
were sma, crumblie craturs, aftentimes a worm or twa
still entwined at their denner. Sometimes they were yalla,
the maist precious o booty. Lik wild honey burstin gowd
oan the tongue. They were niver made intae jam.
Niver made it back intae the hoose. But aathing else
wis carefully collected; berries, beasties, broken bits,
globules o clear ruby, lik diamonds o pomegranates,
intae the jeely pan, biled up wi peaks o sugar
staunin prood and white abeen the bubblin berries.
Up it wud cam, a Mt Vesuvius o pale pink froth,
thick, grainy, swirlin oan the spurtle, whippet aff,
piled on a plate, candy floss, niver wasted, but spread
oan thick slices o white loaf or jist suppit wi a spoon.
Only *skimmins*, so we could eat it tae oor sticky
heavenly herts' content. Little did we ken, nor care
fit we were eatin. Aa that extra protein mixed up
wi biled bacteria. And noo, research shines new licht.
We hud nae idea.

Ripening

In green rodden time
I wanted tae be you.
Scarted my knee
on reuch scabbit bark,
stappit my pockets
wi hard berries, prayin
you'd run oot o supplies
an need mine.

You made planes wi balsa
an gaudy coloured tissue,
wheeched a shairp propeller
makkin contact wi the wind.
I held the hint o the twine,
seely tae chitter, ice-tangled
fyle you ignored me.

Aenoo, rodden branches
hing hunnerwechted, dairk
ripened, riddy for pickin.
Saft crame flesh, nae use
for the games we played
lang syne.

An I'm ower thrang
tae help flee your plane.
Thrang rubbin bricht berries
atween my finger-eyns,
slowly staining my lips
tae silk in the munelicht

waitin for you tae land.

Limmers or Maids

After 'Flesh Colour and Silver: The Card Players', c1898
by James McNeill Whistler

Ye couldnae thole the thocht
o yer wark tellin ony kind o tale—
but naebody cud leuk oan they twa
athoot winrin…

Twa slips o quines, sisters, shairly.
As bare as birkies, an as slicht
—aa sillered flesh peachie-milk
sittin sae easy, sae licht o hert—
playin cairts.

Will they get trigged oot in their best
or huv they some ither tryst in mind?
They hae a leuk o new baathed skin
sheeny damp, dairk hair lowsened
waitin, time-sairin.

Ane is but a sketch, her heid nocht
but a haze o nascent pairl;
the ither fine vrocht in ile.

So the back-speir—wanton or douce?
limmers or maids?
is mibbie nae tae be asked.

Fit can be jaloused is clair—
yer nae deen.

A Richer Tocher

Faan aa the fechtin wis deen
an the lawyers had taen their siller
for the handlin o the divorce,
he cam back ae day tae pick up
the hinner-end o his life—
schule certificates, birth-lines, photographs,
medals—aathing she'd managed and kept
like wummen the warld ower.
His waddin ring wis there,
he hudnae worn for years
and withoot thinkin
he went tae slip it oan his finger.
But his knuckle wis ower big.
Aa that roch wark—
nae trace o sel-peety in his voice,
jist the fack.
Her een brimmed an in a suddenty
they were greetin lik twa bairnies,
kennin they'd deen their best,
that aathing guid they'd kent
wisnae broken, that in some unco wye,
a trowth they could scarcely tak in—
their pairten had brocht
a richer tocher than mairrage.

St Valinteen's Eve

Howp laists the hale o the day
on the thirteenth. That quean
wi a mirky tilt ti her mou
thinkin lang, lang on a lad—
aa day she has the pleesur o it;
that he'll come i the morn,
hans brimmin wi bricht flooers
the luve-licht shinin in his een,
great-hertit at the sicht o her.
Naethin can dim the glowe
this day, its holy innocence.
It's lik the sky, swickit oot o colour
fan dairkness wizzens and the warld
hauds still, waitin for skreek o day.
Aathin has possibility this seilie day
ontil the morn opens its trowth.

Dream of Gerontius

You surprised me yesterday, appearing
at my side in Buchanan Street
eyes shining, *How did the reading go?*
eager for an avalanche of words—
I cannot tell a story any other way
give thanks you always relished
swimming, never drowning in my tales.
Half-way along I stopped to listen
to the buskers rocking out Hotel California;
danced a little bit, let my hips jiggle.
Did I ever make you that tape? I know I promised.
I knew you could never be talking about the Eagles
—before your time and not your taste.
I stroke your arm, still wiry, all that squash-playing,
yet strange, considering you are dead.
We say burning a CD now, sweetheart.
I can say *Sweetheart.* No upset to anyone.
That's one of the perks of us living in my head.
But did I tape it for you?
The Dream of Gerontius? *You'll love it.*
I can never listen without tears starting.
When they sing Sanctus fortis, sanctus Deus. Oh. Oh.
I squeeze your hand. No, you didn't tape it.
And we carry on down Buchanan Street.
Look at the sky tonight, I whisper,
wiping away our tears. Look
at this geisha-faced moon, her hair
enamel blue feathers painted with the tip
of a brush, cheekbones butter-peach.
And her mouth is the only promise we need.

Glesga Fair

She's goat her legs oot—
her foldin plastic chair
oan the gress at Glesga Green—
an her airms an enough
creamy dimpled bosom
tae please Renoir;
bra straps oan show,
frock lirkit richt up
ower her knees
sittin lik a mannie
legs weel splayed as if
tae accommodate
magnificent baws—
but it's no that.
It's tae mak room
mak a space
for her belly,
lovely big roon
wumman's belly
growthie in the sun.

Dumfoonert

Ye huv tae ken—I wis eleeven year auld
—hine awa fae onything resemblin
wummanhood. It wis the smells—
the burnt spun-sugar, iley flattened girse
the reek-boak fae their caravans;
canvas creakin as the nicht daurkened
an the bricht lichts o the hale carnival
birled aboon ma heid, lik jewels.
I hudnae a thocht o findin a jo
nor a jo o findin me. So faan the mannie
offered free tickets tae the early show—
there wis me an Davie, Ally an Sandy,
my compadres o the summer
my burn-guddlin, bosky-wood explorin
best freens—we thankit him an slippit in
richt doon at the front, swellin the numbers
as nae doot wis the intention—tae find—
Estelle the Tassel Swinger.
Left rotation, right rotation
then baith at eence, the glint o gold
swingin, skirie, dazzlin.
Nae a fustle, nae a wheeber
escaped oor lips as we watched,
dumfoonert, thirlt tae the spectacle;
nae a single carnal thocht
in ony heid. Jist gaap-mou admiration.
Fit wye is she able tae dee that?
Even the big loons at the back kept their gabs shut
in the face o sic saik-less wunner.

A Hairy Caterpillar Talks to God

So. This is what you're saying…my skin,
my cosy furry skin, will split?
No clever-stitched episiotomy,
but out of control, ragged, jagged
starting first here, then higher,

the swollen inside forcing its way through
all gold-green quivering, barely solid;
still the hollow shapes of stumps
where once I had legs.

And I will have no use for legs?

Have to pierce a nettle leaf,
trust the dark, hang there, my body
hardening leaf-brown, unnoticed

while my inside liquefies. Disintegration soup,
where I have no choice, allowed no comfort
even in distant memory, of summer evenings
holding lavender shimmer in wings of glass.

I just hope You know what you're talking about.

Swickit

The day I stoppit spikkin tae You—
it wis an icy blindrift winter efterneen
an I cam burstin intae the kitchen lookin
for a piece n jam, jist in the door fae the schule.

Aathing lookit afaa tidy. But it wisnae till bedtime
I unnerstood exactly fit hud happened here.
Mammy, faars Teddy? I askit. *He's nae faar I left him.*
My mither didna say onything. So I askit her again.

Ach he wisnae worth keepin. Aa his stuffin comin oot.
I wis huvvin a good redd-up. Ye've still yer bonnie dollie.
Mind Auntie Joanne sent her in the parcel fae Canada?

And that wis it for me and You. I hud tholed
how gweed thochts an deeds were recorded
in gowd letters in Your big book. An the ither kind,
big black writin—the opposite side.
There aye seemed an affa lot mair o them.

But fit were You thinkin, lettin her dee awa wi Teddy?
What a friend we have in Jesus… Aye. Right.
Ony kind o freen wud've sorted this oot. A deep pit, mebbe,
jist tae keep her stucken till I got hame—
or a middlin sized thunner-bolt tae gie her a flegg.

But, no, You chose this day tae indulge
in lettin humans work oot wir ain destiny.
It wis entirely Your fault fit happened next.
The heelabalow.

I ken it wis murder. I beeried her up the back gairden,
that perjink Miss Toronto wi her cheena phizog
an smug wee smile. I'm nae denyin it.
I wisnae huvvin Teddy wi nae company…up There.

An I wisnae spikkin tae You.

The Addams Family

Sic gorgiamus allos subjectatos nunc

Ah Gomez—and Morticia
you never knew why I hung about
that summer—spent long afternoons
in the swamp behind 1001 Cemetery Lane
—helped Uncle Fester detonate his caps
(and stuck his toupee back on straight)
sharpened Pugsley's guillotine—daily
so Wednesday's doll could swoon, forever headless
—defied death from strangulation feeding Cleopatra,
your favourite African Strangler plant
—I see them still—those chunks of raw meat—dripping.
Evenings you watched me practise dance with Lurch
the watusi, the hully-gully—and yes, I'll not deny
that granite face and thick lipped leer—a big turn on.
And his voice. That voice. Neat. Sweet. Petite.
I brushed up your French, so you could thrill Gomez
all over again, your little bubbale. Remember
how your pronunciation of merveilleux cured
his bronchitis, that first time? You'd barely met.
And oh—your *cool*—Morticia. That skin tight black
became you like a moon-starved night, all hobble skirted
octopus tendrils waving in delicious invitation,
slaughtering roses to make bouquets of thorns,
boiling up his favourite crunchies, eye of newt and cold yak
—for Gomez, your horny crazy kohl-eyed husband filling
his plus fours with such panache—don't get me wrong—
it was never a trial, never an endurance. Who wouldn't enjoy?
But that wasn't why. The truth is—I was in love,
head over heels, beyond explanation, beyond reason
in love with—Thing. That sinewy, bony, paler than pale
sexy, disembodied hand, opening his box wherever needed
scratching your back, handing tissues, tea, massage—
I wanted him, the way he beckoned, the way
he crooked that long forefinger...

Col du Tourmalet

The best view is high on the Distance Mountain
up beside Octave's enormous statue, silver-white metal
shimmering in July heat, mouth at open stretch
willing air into his lungs, dancing his pedals,
his roar of *Vous etes des assassins! Oui, des assassins!*
still raw. And look back down the Col a little way
for Eugene Christophe, beyond tears, hefting
his broken fork to the forge, crossing the finish
nearly 4 hours behind the man he would have beaten.
Blame—or praise Alphonse Steines, that telegram:
Crossed Tourmalet: Very Good Road: Perfectly Feasible.
No smooth asphalt then, but lethal scree or lingering
winter drift, nothing but smugglers' mountain tracks
at 7000 ft—included by Henri Desgrange, principal 'assassin'.
So many ghosts. Necessary ghosts—taking their place
under silent witness of soaring lammergeiers,
dark specks of griffin vultures. Remember them
as you watch the mad bright confetti of the *peloton*,
lungs bursting, tendons burning, ears ringing.
Remember who came before.

Purple Like Borage

I slipped out after the rain stopped
to walk by the river. Along its bank
the bushes tall, green-thickened,
arching a cathedral in the drenched air.

And blossom, purple tasseled pennants
smelling of faint honeysuckle.
The name lost.

But I remember you loved it,
waited every year for its long plumes to open,
waited for the butterflies.

Borage? No, that's blue.
And borage is for bees. Its furry grey-green leaves
belong in frosted glasses on a summer table.

Why didn't you garden anymore?
You used to love it so.

And this was your favourite.
You grew it by the gate – not skyward
like these – but pruned, tended, fat –
confettied in butterflies, bursting with life.

All gone now.

Buddleia. Budd-le-ia.

Like a prayer lost on the wind.

Taonga / Treasure

Back from your wanderings
like Odysseus,
you could never wait
to open the big leather trunk
right there on the living room floor
lid flung back on its hinges,
as you ripped into shirts, bundles
of crumpled airmail-blue letters,
parcels...

For me this time
a heart, made from shell
like butterfly wings banded in silver;
paua shell, treasure from the God of the Sea
you said. I didn't need an explanation.
It was like looking up at the sun
from the deepest place
in that cold southern ocean, swirling
milky green, violet, rose—
opaque or translucent
depending how I held it
to the light.

taonga: Maori word meaning treasure.

Emer's Love

*Dig a wide grave, Conall of the Battles. For I
will not live after my great love.*

Emer—
wind-dark hair streaming
as you raced them all
to win first
through the high doors
of the feasting hall at Bricriu's Dun
boasting as you ran
that every swaggering hero
wanted you

who only loved Cuchulainn
this son of Lugh
this hound of Culainn
hero-light already shining
in the beardless youth

—and wed him, your warrior
who dreamed his life
a high round wheel of fire
rolling before him, spreading
a dry path through sodden marsh.

But fire burns.
Life with your love was never easy.

A girl no longer, your heart
pulled apart when he loved
Fand the Sidhe woman
the enchanted one, she
of silver skin and golden hair

and still you ran to his body,
bound hard to the standing stone
at Samhain time, as the dream foretold,

washed the dear head of him
and lay finally, lips on his
in that one wide grave.

Life and Death

Looking down on the Kalahari, buffalo
are tadpole eggs, undulating, shape changing.
Elephants trudge, grey ridge-back beetles.
And one calf makes a fatal error. Reeling
from the dust storm, he finds his mother's tracks
but follows them in the wrong direction.

A bird of paradise, black knight
swishing midnight-blue silk,
lifts up his skirts for the dance
pulls feathers into first a dainty crinoline,
now a ruched fan, stamping and circling
in hopeful flamenco. The drab female
pays no attention—no—not even
when, tail leaden, worn out, he falls over,
heart bursting, right at her feet.

A great white shark, seal hunting,
explodes on the surface of the ocean,
walls of water like the launch of a battleship.
And death unfolds in slow motion,
a black and white cartoon. No subtitles.

Dislocation

Somewhere in my mind, at my shoulder
he's still there; that pause he takes
on the edge of a rocky path
forcing itself up the grim slap
of a wintry mountain.

His jacket's too big, woollen,
twenty years out of fashion
a man's jacket—bleached grey
like the sky and the low clouds.
He's going to be tall, but his body
still has that soft outline,
that tender plumpness
boys have—just before they grow.

His mother climbs ahead of him
holding tight to a little one.
It's sleeting on their bundled lives.

He stops, looks back at what's below
whatever is left. Even from this distance
of camera lens—and the miles between—
I can see, more clearly than I'd choose,
he hates that he is crying.

Yolanda

Typhoon Haiyan, also known locally as Yolanda,
struck the Phillipine Islands in November 2013 causing
tragic loss of life and widespread devastation.

The children have formed a queue
an indecently quiet obedient line.
I long for naughtiness, for scuffling,
for mischief. But they stand
silenced. One small girl steps forward
to take her plate. She's bright
in the scarlet dress she was wearing
two days ago, when the typhoon
three hundred miles wide—
as far as the yearly visit
to her grandmother's house
—stormed her world apart.
I cannot see the food exactly.
There's rice, a little chopped mango,
something else—some re-hydrated
Red Cross nutrition.
What I see is her smile
gap-tooth instant
shining with surprise
that smile,
unmistakeable;
the one you see
when you've got it right
at Christmas, birthdays—
stops my heart.

Docking

The ferry engines stop, allowing
only momentum to edge it in.
I hang over the railing, watching
as each fender is matched
to its squashy maroon twin
close as a kiss.

Such exquisite precision.
And here comes the gang-way,
easing up slowly, slowly
until two giant steel hooks
can be wrestled, clunked into place.
Boat and land bridged again.

Cal-Mac workers just doing their job.
Seven more times today
they'll bring her home, find their mark

like my grandfather once
fixing a broken sash.

Look here, he said. *Once I take that out
we'll see the joiner's mark. He'll have left his mark.*

And there, over a century old
clear inside the window frame—a pencil line.
Conversation between two masters.

In Search of the Muse

Found you where I should have looked
in the first place—
under that kitchen table.

Remember Sunday afternoons
we'd only sing *Mormond Braes* for them
if we hid under its dark green drapes?

Not a breath in the darkness,
but I kent fine you were in there.
I grabbed, scrabbled for your arm
—you slid further back. I knew
you'd be cross-legged, glowering,
fawn socks wrinkled to the ankles,
because you hated garters.

Get outta there. I need you.
I'm going through hell here.
They expect me to write something.
Come out at once. Do as you're told.
Oh c'mon... I'll buy you an ice-cream...
Jo's Boys then? You were saving up.
You're too clever to hide. Don't be so stupid.
You know you can do it.

One small poem. It's not much.

And I miss you. The wild words tumbling out,
never knowing what you'd say next. Miss playing.

Miss how your mouth kisses the edges
of words flying into my fingers

words like—bourach fashious
fatty-bannocks dwine dwam
sea scum like a ice-bear's dirty fur
the nubbiness knottiness tumescence

viridescence of young beech buds, mulberry
sheathed tight packed pink veined; a wild gean tree
trying to reach the sky and how broom flowers
blaze yellow yet trail in cool silk through my fingers

Vi's Libry

wis up a steep widden stair abeen the haa
a coal fire—tended, like the shelves o books,
by Miss Violet Donald, skirts hysted
for maximum toastin at the bleeze,
saicret marlin o stockinged thighs,
deep in parley wi the inner circle—Crusty Smith
shinin pinkly in enforced sobriety;
flanked by Zander Rae, hodgin discreetly
in triggit-oot troosers, fyles, Jimmy Hutcheon
if he wisnae asleep. I sought nocht
fae them—which wis jist as weel
for *junior members* were lat
jist een book at a time, niver mind
actual conversation wi oor
High Priestess o the Shelves.

Ma hert in ony case wi Emily
driftin aroun her beloved New Moon,
or wi feisty reid-haired Anne o Green Gables;
fyles sobbin sair wi Jo in her attic
as she munched her aipples;
or the Dog Crusoe, ably assisted by ma nainsel
as we rescued unco seamen, hale faimlies
oot fae ragin, icy Newfoundland watters;
aftentimes wearin Biggles' helmet an goggles
for blastin the Red Baron clean oot the sky
—wi weel aimed bursts o tracer fire.

Na, na. Aa I iver sought fae Vi wis the alchemy,
the magic o her lang crimson nails slidin
the thin strip o cairdboard fae the nicht's choice
intae that byordnar traisure, prize abeen rubies
—ma libry caird.

School's Out

En route for Hollywood, or maybe
as a stepping stone—winning X Factor
—they board the train at Paisley.

It's a school day, mid December, 2 degrees below
and they jump on laughing as the doors close;
dressed for Californian sunshine, in tiny skirts
and even smaller tops, winking pierced
belly buttons, sitting on the edge
of their seats, of life.

The tall one, attended by her acolytes,
takes on the ticket man.

WHIT? Naw, we've no goat tickets
Nae money. Naw, we're no intendin tae buy tickets.
It's only the wan stop tae Glesga!

Then she ducks her chin into her sparkly scarf,
indicating the audience is over, he may withdraw.
Preferably backwards. Surely he can see,
she has the whole day, not to mention
the rest of her life, to organise.

Transformed

The No 6 bus is crammed so I drunken-lurch strap to strap
to the one seat right at the back, that dodgy space in the middle
no rail to steady the tricky manoeuvre of turning around
simultaneously-sitting-down-whilst-clutching-rucksack-to-chest.

It's been a long stifling day. The air is thick with resignation.

Across from me, three children fit on a seat for two.
The boy looks around four years old. His t-shirt bears witness
to a long day outside with a smorgasbord of finger foods.

He is telling his big sister about his friend Ahmed
and how he absolutely needs to see him when they get home.
Ah'll no even huv time to get ma tea first. She shakes her head
and explains to him that this is very poor judgement.
He corrects her pronunciation of his friend's name
—half a dozen times he says it—until she gets it right.

At the front of the bus, an even smaller boy slides unrestrained
to the moving floor—starts a long tottering journey
to join his siblings way up here. The young mother seems
unaware, makes no attempt to call him back.

The collected company holds its breath as the toddler reaches his goal.
No one helps him, no one needs to help as he labours steeply
on to the seat and swivels round to face us.
He leans against the middle sister. She is maybe six.
They too begin a serious foreheads together exchange.

We listen respectfully, attentively. The whole bus is now listening.
If that toddler had stumbled, two dozen hands would have held him.

Somewhere between Jamaica Street and Victoria Road, we became a village.

Terpsichore

On being invited to find a Greek female muse to inspire a poem

So ah sez tae Terpsichore let's go dancin
a night oot dae us good—forget aw this luv
luv luv an dark hair spreadin lik the fields
o May blossom—or whitiver it wis Patrick said.
Lets get gussied up an go dancin look
fur talent see whae pulls first.
Ah'll lend ye sumthin.
Thae draperies ur no gonnae cut it
in the Sub Club.
An...lose the lyre...
C'mon it'll be great. Jist whit we need.
Ah've hud it up tae here lookin fur a muse.
You must get fed up tae
—aw thae losers moonin aboot
giein ye *gifts of the mind, secret signs.*
Whit are they like? Whit has that
got tae dae at aw wi me writin poetry?
Be ma pal we'll get the slap oan,
taxi phoned, a wee bevvie at hame
cos its cheaper. Ah ken this is aw new
tae you, nae taxis oan Mt Olympus. But
trust me ye'll get the hang o it nae bother.
Bacchus bound tae be aboot an we can
kid oan some o they chancers huv a wee look
o Apollo oan a good night, mibbies even
Leonard Cohen. Noo there's a muse you an me
cud totally relate tae. An if we dinnae pull
we'll jist get wirsels hame hae a laugh
it'll be great. C'mon c'mon. Come OAN.

Terpsichore: muse of dance, song and lyric poetry; emblem the lyre.

Growin Parsley

Parsley aka *The Deil's Oatmeal*

Best sown by a wumman, een better
a kiltimmer wumman—nae feart
tae taak luve faan she fauncies
—unner derkness o a mune-sterved sky,
or the hurtin bricht faan it's full.

Aabody kens its roots gang nine times
doon tae the Deil's lair
an nine times back
afore he licks them intae burstin life
his lang tongue waarm, coaxin.

So it taaks a limmer tae collogue wi Satan's wyes.

A cliver wumman micht jist think tae water
the seeds hersel. Ye ken fit I mean;
squattin doon, lettin yer ain waarm stream
fizz an bubble them intae saft derk grun.

For science scrieves that persley seeds taak lang tae sproot,
need waarmth an patience—an mibbie wimmen's hormones.

Believe fit ye like.

But I lik the look oan ma man's face faan I insist
I huv tae plunt the seeds, wait for a risin moon,
forbid him een tae touch them, remind him
how they belang tae Persephone
an her mate—doon there;
how persley used tae be sprinkled oan graves...

I tell him eence its bonnie green feathers burst
through the grun, I'll use ma sherpest knife
chop it fine, gie an edge tae aathing
he pits in his mou. Use it
tae add savour tae oor days.

War Record

Mairzy doats and dozy doats and liddle lamzy divey
A kiddley divey too, wooden shoe?

They say that American servicemen used its lyrics as passwords.
But we used it for dancing and showing our knickers
me and Great-Auntie Lizzie—hers shell-pink celanese
elasticated at the knee, astonished at being on parade.

Words. Ciphers. Codes. Stuttering like guns; wheeling like birds.

Sic a pastin Aiberdeen Harbour took the nicht afore you were born.
I listened the hale o that nicht tae it. The soond o their engines.
Heinkels. The grun shaakin.

Even now, a small place deep inside, tissue memory
flinches hearing the weight of a slow droning plane.

Mammy and me scared witless in the juddering dark,
thin red tracer lines bisecting our garden sky, shivering
in Mrs Burnett's glass porch knocking and knocking...
Sherry for pregnant Mammy, cocoa for me.
Digestive biscuits. Sugar sprinkled thick
on buttered white plain loaf. Damp musty earth smell
and cold feet in the Anderson shelter.

Ach the Hun'll niver bomb us.
We've the mock aerodrome up at the Moss.
They've been drappin aathing they've got up there!

My beautiful square shouldered aunties scarlet lipped,
fake stocking-ed American Tan
and seams drawn on with eyebrow pencil.
Quiet Grunnie telling Mr Jenkins the Minister
in plain public view *she widnae be back tae his Kirk*
if he couldna manage een one refugee in that reamin great manse...

Granda in his ARP tin helmet. Daddy watching for fires
all along the railway line. Reserved occupations.
Powdered egg. Gas masks in boxes. A dance frock
sewn in secret from parachute silk.
Mum's the word for stealthy yellow farm butter.

Passwords. Codes. Ciphers. Mysteries.

James Keir Hardie

Tae Friedrich Engels ye were the super cunning Scot...*with demagogic tricks*
—an he wisnae sookin in. Hud he been a kirkie mannie,
he'd huv been doon oan his knees, pittin up a wird
makin siccar ye niver got nar sniffin distance o Westminster.
His girnin wraxed new heichts faan ye waaked throu that door,
claith bunnet an hamespun, spleet-new Member for West Ham.

Nae for you the cauld analysis, the lang-nebbit theory o the dialectic
settin the warld tae richts. Aa yer gumption, yer scrievin, yer wirds
cam fae life, fae a day's lang darg, fae the hard tyauve o yer hauns
burnt intae muscle memory—aa these oors sittin in the derkness
ten year auld, listenin for the rummle o each loaded cairt
managin tae practise yer letters gin ye'd a caunle stump.

Men voted for ye ower the heids o the weel-gaithert, the swall-heidit,
the high-bendit. An it wisnae jist cause o yer kittlin-up wirds,
though you cud start a bleeze in ony owdience—aye, an relish it!
Workin fowk were gizzent in weys the theorists hud nae idea.
But you did—an mair. Ilka chiel that voted for ye kent yer years in the pit,
pyochered the coal blaik in yer lungs, daured the beat o yer contermit hert.

Nae that ye were athoot principle. Ye were niver a pragmatist. An wirds
were yer freens. A scriever in papers, leaflets, aftentimes awa fae hame
warld traiveller, warly-wise—yet ye keepit yer watch at Cumnock time

for I could tell then, what was going on at home...
when the children went to school, when they returned
when they went to bed...

For that alane, I'd huv voted for ye.

A Bonnie Fechter

That winter, snaw flew its feathers thick
smoorichin the hale Rannoch Moor.
I thocht the warld wud be white for iver.
Danny the Keeper said the stags
wud have tae come doon,
else they'd sterve tae death.

We'd niver seen red deer afore.
But these beasts wernae ony shade o red.
Ivery day as the licht hid ahint the Black Mounth—
they floated ower the high fence at the side o the line,
sepia angels biggen a brig ower cloudy drifts
against a grape slate sky. I thocht their hooves
could niver touch the grun,

until the day we heard a scraping
ootside the kitchen door. He was big.
His antlers telt a lang story, a hero's story,
of territory defended and hinds protected.
He eased back a bittie, but didnae flee.
At my mither's nod, I threw the tattie peelins
scuddin intae the kirned up khaki snaw.

And waited and watched while he took his time,
his fine big heid lowered wi nae loss o dignity.
And so he lat me feed him ivery day,
as the licht left the sky.
Nae to touch or stroke, but he'd lat me
look intae his een and watch him,

until the day he didnae come. The day I looked
and shouted and poked aboot the frosty dyke.
Nae use, my pail o slippy tattie parings frozen
in the night where I'd left it.
I splashed bilin water tae saften it for him.
But nae sign.

Winter gnawed on

until Danny the Keeper said ower a nip and a fag
'Thon's a grand auld beast deid doon by the burn.
Funny that. How they hide awa, faan they ken
it's their time. Like an auld war hero. Like ony
bonnie fechter faan he kens his time is up.'

My Land

Plays meltin slow airs oan the fiddle. Gars me greet.
Struts like naebody else. The kilt wis invented for struttin.
And struts darkly wi white gloves and orange sashes.

Has lochs lyin aboot Ayrshire like sma cups
o watter held in ribbed broon corduroy hills.

And licht sillered ower the Firth o Clyde
ice skimmings in simmer time, wrinkled
like a saucer o new jam pushed wi a finger
tae test for setting.

Leaves sic a sweetness oan my tongue
of dusk pink clover sookit dry each simmer.

And minds the sharp smell o blackened neepie lantern
chipped awa sae patiently, my faither sitting by the Tilley lamp.

Draws skeins o geese tae wild grey lochs
arrowing oor Northern winter skies.

Has a squint smile, no brimmin wi confidence,
tho teems wi heroes, sung and unsung.

Can niver say I love you, but hugs me,
awkward and fierce. Gies me a bosie.

Nae Answer

It didnae feel richt tae waak by,
tae leave it gleamin in the loam.
I kent it wis his. The hand
wis anither maitter aa thegither.
Gowsty starfish fingers beached
on glaur lik aa the rest. But that ring,
it wis his. The eagle, raised prood,
jist a bittie chip aff ae wing. Scratted
ma hand, thon nicht, faan stars exploded
in frosty peace. An we daured look up.
Kicked a cloutie ba ower mune hard grun.
I gied him a Woodbine an lichted it. Danke.
Danke. That's fit he said. I unnersteed.
Shook hands. An wissed each ither
a Gweed Yuil. His ring felt wechty, barked
ma knuckle, drew bleed. Faan I jumpit back,
he lauched oot loud, pynted oot i roch bit.
I think he said his mither gave it him.
He marked oot 17 in the grun atween us
and smiled at me aneth oor stars.
I knelt aside his puir syped een
an couldnae leuk, as I squeezed it free.
It didnae seem richt.

Mixin Mustard

This mornin aready ahint itsel
wummen fowk back fae the kirk,
lobby sweelin smells o dairk-birstled beef
—time tae mak the mustard. Granda likes it
mixed wi milk, maumie, sweet.

Lang syne he wis a sapper, diggin, buildin, shorin up
that endless front line. Lucky...if luck is tae thole bein wounded
three times ower, sent hame—an back—ivery time.
Oan the back o his haan, ahint his ear, thick purple forlies,
shrapnel they couldna dig oot, prood-skin protectin
lik the nascence that growes ower oyster grit.

He winna spik o it, though it's forty year syne;
winna spik o the snaa and sleet slicin his haans
the dubbit depths o Passchendaele, the sichts he saa.
Jist ae fingger depth in, grun stapped wi the deid
—men, horses, gassed, droont in glaur; niver spiks
o the freens he lost nor the soonds he heard.

Nae even if we prig and plead will he tell us fit he minds on.
But he'll nip a sly bittie beef faan the ashet's set oan the table.
'Bonne-bouche!' he'll rummle-laugh. An he'll sing sometimes
'Mademoiselle from Armitieres...inkey pinkey parley vous!'
say 'Wipers' an 'San Fairy Ann'—a lirk tae his mou meanin
'I ken fine I dinna really spik French.'

Efters, he'll tak us for a waak tae the auld kirk-yaird,
past Berrymoss Well wi its tin cup an sweet icy watter;
or heist Sandy oan the bike, me in the side-car—
Balmedie wi its lang white sand an green north sea.

The mustard's ready. I pit it by his plate.
He'll smile and say 'Ah quinie, ye minded.
I like it faan it's melled wi milk.'

Sang at Hinnerend

It wis a coorse day, an orra day
icy girse sypit unnerneath oor feet.

Twelve o us, the lair opened, cooncil mannie hoverin
Anything at all you want to do or say is just fine...
your ash in a plastic urn, inside a Tesco bag
aabody lookin at the grun.

A poem seemed a gweed thocht.
Hamewith—the road that's never dreary
back where his heart is aa the time.
But it wisna richt for you.

An a meenit's silence. *Onybody got a watch?*
says sumbody, tryin tae lichten the load.

Sae monie things unsaid. Sae monie sangs
we hud nae hert tae sing.

We cud hae telt o Sunday walks, winnin up that hinmaist mile
lik pilgrims—tae marvel at *the elephants* scored in stane
these Pictish beasties, safe ahint their iron bars. Or tales o bogles
roon the watcher hut, saicret windaes maakin siccar the deid bade safe.
Ootbye the farrest dyke, liftin tatties for bigsie Howard,
sniggerin at his posh weys.

Lang-geen days jinkin in an oot these freenly stanes,
their story o screeven names in lichen-gowd – faimly
—yet a warld awa fae us. Distant, then
as the wheelin peesies aboon oor heids.

An aye aneth the kirk-yaird
the lang sang, the sheughin siller
o the clair tumblin Don.

Scots Glossary

*This glossary is specific to the poems. Mostly the meanings
and spellings of Scots words are in Aberdeenshire Doric,
but occasionally I have used words which are idiosyncratic
to the village where I grew up, or indeed in my own family.*

aathing: everything
abeen: above
ahint: behind
ashet: large serving plate
athoot: without
back-speir: question
baw: ball
beeried: buried
biggin: building
biled: boiled
birkies: birches
birled: spun
blae far-awa: horizon
blaik: black
bleeze: blaze, fire
blindrift: impenetrable snow storm
bogles: scary ghosts
bone-cheena: bone-china
boo't twa faal: bent double
bosie: a heart hug, bosom.
bosky-wood: wild wood
bowts: bolts
breenge: rush forward, explore
brig: bridge
buits: boots
byordnar: extraordinary
caa'd wirsels deen: exhausted ourselves
cairts: cards
caunle: candle
chaumer: chamber, traditional sleeping place for farm
            workers in N-east Scotland
cheena: china
chiel: man, fellow
cinner: cinder

cloutie ba: home made football made of rags
collogue: cooperate, chat in an intimate way
contermit: determined, contrary
coorse: cruel
dander: slow walk
darg: a day's work
daured: dared
dee awa wi: get rid of, kill
deen: done
Deil: Devil
dirlin: vibrating
drouthie day: good drying day, a thirsty day
dubbit: muddy
dumfoonert: dumbfounded, astonished
dungers: dungarees
dyke: wall of stone
een: eyes
eence: once
faan: when
faar: where
fack: fact
fae: from
fash: upset, trouble
feart: frightened
feuchin: belching, as in smoke
fit wye: how
fit: what
flegg: fright, scare
forlies: scars
freen: friend
freenly: friendly
fustle: whistle
fyle: while
gaap-mou: gape-mouthed
gang: go
gars: compels
garten: decorated
girnin: complaining
girse, gress: grass
gizzent: parched
glaur: thick mud
gowd: gold
gowsty: ghost like

great-hertit: with a full heart
greet: weep
growthie: growing well
grun: ground
guid, gweed: good
Gweed Yuil: Good Yule ie Christmas
hairst-meen: harvest moon
halla: hollow
hame-gaan: going home
happed: covered
heelabalow: hullabaloo
heelster-gowdie: head over heels
heezen: heaving
hert: heart
high-bendit: upper class
hin-maist: last
hine-awa: far away
hinner-end: end of life
hint: end
hodgin: twitching
howe: hollow, valley
howe o winter: middle of winter
howp: hope
hunnerwechted: hundred weighted
hysted: hoisted
i: the
ile: oil
iley: oily
in a suddenty: suddenly
jalouse: deduce
jinkit: dodged
jo: sweetheart
jyner: joiner
keevee: lookout
ken: know
kennled: kindled
kiltimmer: bad
kirk: church
kirkie mannie: church goer
kirned: churned
kittled up: came to life
kittlin-up: inflammatory
lang syne: long ago

lang-nebbit: intellectual
leam: gleam
leeful-leen: alone
leesome: pleasant
limmer: young woman of questionable sexual morals
lirk: tilt
lirkit: folded
loon: young man, boy
lowsened: loosened
lowssed: stopped work
lug: ear
luik: look
lum: chimney
ma nainsel: my self alone
marlin: red pattern on skin
maumie: mild
meen: moon
melled: mixed up
mind: remember
mirky: merry
mou: mouth
mowdie: mole
mune: moon
nae deen: not finished
nairra: narrow
nar: near
neepie lantern: turnip lantern at Halloween
ontack: awareness
oors: hours
orra: filthy
ower: over
pairl: pearl
pairtin: parting
peesie: lapwing
pentit: painted
perjink: prim, self satisfied
phizog: face
plunt: plant
pooch: pocket
prig: plead
pynted oot: pointed out
pyochered: coughed phlegm
quait: quiet

quean, quine: girl
redd-up: tidy up/clear out
reek-boak: belching dark smoke
reeshlin: rustling
reuch: rough
roch: rough
rogie-faced: mischievous
roon: round
saadist: sawdust
saick: sack
saicret: secret
saik-less: innocent
scarted: scratched
schule: school
scratted: scratched
scrievin: writing
seely, seilie: happy
sel-peety: self pity
sheughin: surging
siccar: sure, safe
siller: silver, money
skelp: dash
skirie: garish
sklaik: smear
skreek o day: dawn
sleekit: sly, sneaky
slung-stanes: stones let loose from a sling
smoorichin: smothering, tight embrace
sook-in: suck in
spikkin: speaking
spleiter: splash
sprauchlin: sprawling
stapped: stuffed
steel-glaizie: shining steel
stucken: stuck, held fast
swall-heidit: proud, swollen headed
swatch: notice
sweelin: swirling
sweemin: swimming
swickit: cheated
syne: since, ago, then
syped: soaked
tasht: well worn

thirlt: bound, enthralled
thole: endure
thrang: busy
time-sairin: time-serving
tocher: dowry
trigged oot: dressed up
trowth: truth
tyauve: work strenuously, struggle
tyke: dog
unco: strange, unknown
unner: under
vauntie: ostenatious, vain
vrocht: worked
wachty, wechty: weighty
wark: work
warld: world
weel-gaithert: wealthy
wheech: flick
widden: wooden
wird: word
wirsels: ourselves
wizzens: withers, shrivels
wraxed: reached
wye: way
wyme: womb

ACKNOWLEDGEMENTS

Thanks to the editors of the following publications, where some of these poems or versions of them, have appeared:

Gutter, Northwards Now, The Herald, Lallans.

Running Threads (Makar Press, 2006), *Digging for Light* (New Voices Press, 2010), *The Smeddum Test* (Kennedy and Boyd, 2012), *Tour de Vers* (Red Squirrel Press, 2014), *Songs of Other Places: New Writing Scotland 32* (Association for Scottish Literary Studies, 2014), *Double Bill* (Red Squirrel Press, 2014), *A Stillness of Mind* (The Reading Room, Skye, 2015), *The Hunterian Poems* (Freight Books, 2015), *Extraordinary Forms* (Grey Hen Press, 2016), *Owersettin* (Tapsalteerie, 2016), *Talking About Lobsters: New Writing Scotland 34* (Association for Scottish Literary Studies, 2016).

'My Land' (2007) and 'Mixin Mustard' (2014) both won First Prize in the McCash Scots Language Poetry Competition. 'Ripening' won First Prize in the Robert McLellan Poetry Competition 2007. 'Hairst Meen', 'Nae Answer', 'A Bonnie Fechter' and 'Sang at Hinnerend' also won prizes in the McCash Scots Language Poetry Competition.

My grateful thanks to Maggie Rabatski, whose insightful comments improved so many of these poems. And thanks also to my friends in the Caley Poets Group, whose feedback and support has been hugely important to me.

A NOTE ON THE TYPE

This book is set in Miller, designed by Matthew Carter
and released in 1997. It is a 'Scotch Roman',
and follows the original style in having both roman
and italic small capitals. The style was developed from types
cut by Richard Austin between 1810 and 1820
at the Edinburgh type foundries
of Alexander Wilson and William Miller.
Miller has a plain austerity well suited to poetry in Scots,
with a touch of decorativeness in the italic.